TAVOLOZZA

Emilio Praga

Texte et illustration de couverture : © domaine public
Edition : Culturea (Hérault, 34)
Contact : infos@culturea.fr
Retrouvez notre catalogue sur http://culturea.fr
Imprimé en Allemagne par Books on Demand
Design typographique : Derek Murphy
Layout : Reedsy (https://reedsy.com/)

Dépôt légal : janvier 2023
Tous droits réservés pour tous pays

ISBN : 9791041963195

1

PER COMINCIARE

Spesso una voce incognita

mi dice: - O giovinetto,

perché dolente hai l'anima,

e pallido l'aspetto?

Di desidèri inutili,

oh, non ascolta il grido;

l'aura che vien dagli uomini,

amico, è un verbo infido!

L'aura che vien dagli uomini,

dice l'amica voce,

ti segnerà benevola

di canizie precoce;

tienti i tuoi canti, o giovine,

vivi nel lieto oblio;

non valgon templi olimpici

un tugurio natio.

A te divine musiche

cantano i tuoi vent'anni,

rose educar le lagrime

dei primi disinganni;

del bisogno la maglia

non ti comprime il cuore,

che eterna, puro e vergine,

l'inno del primo amore.

 Ah! chiudi le domestiche

pareti, o giovinetto:

sul nido tuo non aliti

l'aura del mondo infetto,

bevi in pace e in silenzio

al tuo nappo dorato;

là fuor de' tuoi carnefici

Echeggia l'ululato!

Bevi al tuo nappo e i cantici

svolgi che il ciel ti spira,

ma sia sommesso ed umile

il suon della tua lira,

nessun s'arresti a coglierne

le note alle tue soglie:

presto si muor la mammola

se al margin suo si toglie.

Guarda la folla, o giovine!

É una stoltezza o un fallo

là, fra i curvi che incensano

l'ara del dio metallo,

ogni altro culto; e copresi

di sogghigni immortali

chi, col fango battendosi,

tenta di metter l'ali.

Come il selvaggio, indocile

del prete alle parole,

del suo Cristo beffavasi

e gli additava il Sole,

così, se canti i palpiti

di un'alma ardente o stanca,

costor dinnanzi spiéganti

un biglietto di banca!

Bevi al tuo nappo, e i cantici

svolgi che il ciel ti spira,

ma sia sommesso ed umile

il suon della tua lira;

nessun s'arresti a coglierne

le note alle tue soglie;

presto si muor la mammola

se al margin suo si toglie. -

Queste son ciarle arcadiche,
larve di capo astratto,
e il libro mio testifichi
ch'io non ci credo affatto:
schiusi la porta: e agli uomini,
girovago cantore,
vengo a tentar di scuotere
l'eco assopita in cuore.

Forse i vent'anni ingannano,
e la voce ha ragione:
ma infin, pensare e scrivere
è una cattiva azione?
Nemico all'ozio ignobile,
dell'arte innamorato,
perché, campione inutile,
lascerò lo steccato?

Della prima battaglia
è il giorno! io mi ci affido...
ma i versi miei svolazzano
deboli ancor dal nido;
incensi e allòr non vogliono,
sol temono le spine...
dateci un fiore, è lauro

che ben s'acconcia al crine!

Al solitario e povero

fanciul della Savoia,

che nei caffè le veglie

dei cittadini annoia,

se alcun, pietoso, un'arida

lode gli versa in core,

che avvivi il ritmo flebile

di una stilla d'amore;

scintillar vedi i timidi

occhi del poverino,

e dimenar più rapido

l'arco del suo violino;

la fame allor dimentica,

oblia la lontananza,

e nel petto gli cantano

la fede e la speranza!

2

IL CORSO ALL'ALBA

Oh bello è pure, al soffio

dell'aura mattutina,

il Corso, ove s'esercita

la boria cittadina

quando sui tetti e i platani

da lunge il sol si specchia,

e lieto si apparecchia

alla discesa in mar!

Or che son muti i cembali

nell'aule dei palazzi,

e, in larghe pieghe, immobili

riposano gli arazzi,

né sui balcon sorridono

le matrone galanti,

e i giovani eleganti

stan pallidi a russar:

è questa l'ora; o amabili

compagni, è questa l'ora;

coll'arte nostra lepida

qui poesia s'infiora:

lungo lo sporco lastrico

seguitemi cantando,

il campo è nostro e in bando

è l'alta società!

Tornano a coppie i poveri

lattai dalle cascine,

che la sera amoreggiano

le fulve contadine,

mentre ai bifolchi narrano,

raccolti nelle stalle,

l'ardor delle cavalle

che trottano in città.

Dal dazio, ove scroccarono,

tremando, la dogana,

poi che i vietati viveri

levár dalla sottana,

le scaltre serve corrono

al ganzo servitore,

mentre sognan d'amore

le padroncine ancor.

Udite : ove fra splendidi

cocchi e noti destrieri

le frasi sospirarono

di dame e cavalier,

i buoni, inconsci villici

parlan di gelsi e viti,

e degli armenti aviti,

e dei pruneti in fior!

E intorno a lor, corteggio

quasi di antichi amici,

belan le capre, garrule

del monte abitatrici,

e i mandriani intuonano

a bassa voce i canti,

che le greggie vaganti

chiamavano all'ovil ;

ed ecco, ecco le vittime

dell'afa cittadina,

la vecchierella tremola,

la pallida bambina,

che sofferenti e misere

uscir non ponno ai colli

a respirar le molli

aurette dell'april ;

da quel latte, che tiepido
gli aromi ne ha portati,
speran suggere il balsamo
dei zeffiri vietati,
e delle pure mammole,
e dell'alpestre timo
lungi dal nostro limo
cresciuto in libertà.

Ma le campane vigili
già suonano a distesa,
e par che i santi gridino
dall'una all'altra chiesa
come comando bellico
che va di schiera in schiera:
- Sù tutti alla preghiera,
genti della città! -

Pochi infelici accorrono
ai freddi altar davanti;
son le canute vittime
dei nostri avi galanti,
i gonzi, le pinzocchere,

e le stanche creature,

cui le umane sciagure

posto han sull'alma un vel!

Ma, dai sobborghi, al popolo

comanda un'altra squilla:

nelle officine stridule

un'altra fé scintilla:

comincia l'olocausto

del nobile lavoro!...

No, dei chierici il coro

non lo raggiunge in ciel!

Amici! orsù, lasciamoci :

tutti al lavor, perdio!

Un nome abbiam, togliamolo,

togliamolo all'oblio;

questi sudanti apostoli

negli opifici oscuri

non sian di noi più puri

in faccia al Creator!

Ma al suon dell'aspre incudini

si sposi il suon dei carmi,

che tempra a Italia l'armi,

l'artista, che sul soglio

la riporrà sovrana :

questa è la legge umana,

questo è di Dio l'amor!

3

I PESCATORI NOTTURNI

Vengono al mar quando la luna accende
per gli spazi tranquilli il mesto vel;
vengono al mar quando la nebbia stende
le bianche braccia e lo congiunge al ciel!

Quando il vecchio oceàno i vecchi amori
lento alterna alla spiaggia, e stanco par:
quasi amante assopito ai primi albori,
e a cui men bella la compagna appar!

Portan la vela lacerata ai venti,
come stendardo che in battaglia erró;
portano remi e canapi stridenti,
che il nerbo delle braccia affaticò;

e sulla tolda silenziosa e bruna
restan le lunghe notti ad aspettar:
ad aspettar sotto la fredda luna
che il pan dell'indomani apporti il mar!

Che flebile armonia

tra la spuma del mar fosforescente:

che amor, che leggiadria,

nel pelago al lunar raggio lucente!

La volta è pur serena,

la luna senza vel, l'onde festanti!

Se sia la rete piena,

chi potrà dirlo ai pescator vaganti?

Ché forse alcun fra i miseri,

un pensoso vecchietto,

passando innanzi a una chiesetta bianca

il povero berretto

scordò levarsi dalla testa stanca;

forse mettendo il ruvido

piè gocciolante a bordo,

scordò l'un d'essi il segno della croce;

forse un nocchier balordo

mentre un prete parlava alzò la voce;

forse hanno i mozzi striduli

deriso il sagrestano

pel suo cencioso ferraiuol turchino,

o urtato in fallo il nano

che canta i salmi al muro del cammino;

e Dio, travolto in collera,

forse soffiò sul mare,

e avvisò i pesci di fuggir le reti!

Le fitte reti care,

che doman gronderanno alle pareti.

Assisi alla sponda

del fragil barchetto,

cullati dall'onda,

si battono il petto,

se possa aver grazia

l'incerto peccar!

- E intorno rispondono

le note del mar. -

Se a mille i prigioni

le reti daranno,

se eletti, se buoni

gli avvinti saranno,

copiose promettono

candele all'altar!

- E intorno rispondono

le note del mar.-

Ma spira già il vento,

s'appressa l'albore,

dell'astro d'argento

già il raggio si muore,

e i mozzi, a quel pallido

riflesso lunar

le membra stirandosi,

si specchiano in mar.

La nebbia nasconde

la casa adorata,

nascondono l'onde

la preda aspettata;

sperando vegliarono,

sperando pregár :

il sole già librasi

sui solchi del mar!

E lungo il mar che palpita

si aggruppano le spose e i fanciulletti;

già spuntano i barchetti,

e già le note gonne,

le cuffie delle nonne,

come le ali di ronzanti insetti,

appaion lunge ai veleggianti cari.

Alla mesta famiglia

che al lido ste' in attesa lungamente

della diletta gente,

oh come dolce è il giorno,

e il vento del ritorno!

Del raccoglier le vele è sorto il grido;

canta la ghiaia sotto ai remi impàri.

E non lungi, fra i portici

del cimitero, un salmodiar si sente;

è il cantico stridente,

il rantolo del nano,

che a buon momento, piano

stuzzica alla pietà la lieta gente

e i pescator nella sua rete adduce!

I reduci distendono

l'umide reti; e i pesci entro la maglia,

che fra i sassi s'incaglia,

muoiono saltellando,

e squame seminando :

la dolce vista i pescatori abbaglia

più del lucro promesso... e che non luce!

Il lucro è rame, povere

monete, che dei pesci hanno l'odore.

Vegliarono tant'ore

per pochi soldi appena,

ed una scarsa cena!

Pur son felici, e al mendico cantore

regalano, passando, un pesciolino.

Poi, quando il sole è fervido,

seduti sulla spiaggia a riposare

colle famiglie care,

raccontano alle spose

contente e vergognose,

che Satana tentolli in riva al mare

e che ad esse han pensato in sul mattino!

Mediterraneo, giugno 1860.

4

ALLA RIVA

Quando scendo alla riva del mare

lungo il lido di sabbia minuta,

ove tragge la barca sparuta

il nocchiero che all'alba tornò;

o fanciulla, vien meco, è salubre

questa brezza che l'onda c'invia,

che arrivando per libera via

le miserie dell'uom non sfiorò!

Vieni meco: i fanciulli del lido

sono belli, son semplici ancora,

ché del mondo non vider finora

che quest'acque, e le stelle del ciel!

E se fermo a un timon neghittoso

troverem qualche vecchio nocchiero,

ti dirà se di pioggia è foriero

quel vapore che al sole fa vel.

Vieni meco: io ti voglio alla riva

per mostrarti l'immenso oceàno,

e poi dirti che al lido lontano

volerei per poterti fuggir.

Vieni meco: io ti voglio alla spiaggia

perché innanzi a quest'orridi abissi,

I desir, da cui siam crocefissi,

potran forse umiliati svanir.

Per mostrarti in la sabbia minuta

l'orme nostre, che in giri ritorti,

come fosse di piccoli morti,

già dall'aura si colmano ancor;

e poi chiederti, o indegna, se il vento

sorgerà, come sorge su d'esse,

a distrugger le traccie che impresse

m'ha un tuo sguardo, un tuo detto nel cor!

Mediterraneo, giugno 1860

5

ALL'OSTERIA

Son solo: il portico

dell'osteria

mi manda i cantici

dell'allegria,

qui, dove mesto

tra stranie mura,

penso alla incerta e fosca età ventura.

Quei che gavazzano

 giù, fra i bicchieri,

quelle son anime

senza pensieri :

esse non sognano

nell'avvenire

che egual vicenda di volgar gioire.

Sempre essi fiano

servi, facchini,

o pizzicagnoli,

fabbri, arrotini :

arti tranquille,

in cui perito

è l'uom che mai non si è tagliato un dito.

Ed io? nel fervido

volo degli anni,

sconfitte immagino

e disinganni,

dopo il divino

premio, promesso

quel dì che all'Arte ho dato il primo amplesso!

Oh come parvemi

piana la via!

Come la gloria

poco restia,

e fida ancella

del mio pensiero

la man che tenta riprodurre il vero!

Ma dall'immagine

che in me si cela,

all'artificio

che la rivela,

perché un abisso

frapponsi, o Dio,

e enigma è ancor per tutti il pensier mio?

Perché, se l'anima

nuota nel bello,

perché non transita

nel mio pennello?

Il fiume pieno

straripa, vola,

e avrà saldo confin l'anima sola?

Ma che! cominciano

a bestemmiare ?...

Senti i propositi

dell'uom volgare,

senti l'ingiurie,

che rimbalzando

già cedono al baston l'aspro comando!

Addio tripudio

delle canzoni,

si pensi a tergere

le contusioni:

povere spose,

voi che aspettate,

per questa sera, via, v'addormentate!

Normandia, agosto 1858.

6

BALLATA ALLA LUNA

O notturno splendore,

o vergine divina!

Tu che commuovi, sorridendo, il core

dell'uomo e dell'oceano,

solitaria dei cieli,

adoro la tua luce, amo i tuoi veli!

Te fra le viti e i gelsi

del mio suolo natio,

fanciullo io vidi e ad astro mio ti scelsi;

fosse felice o in lagrime,

da quel giorno, o mia Dea,

quest'anima sperando, a te volgea!

Come sei bella, o luna,

quando il viso ti specchi

nel mite tremolio della laguna;

come bella, fra i pallidi

scogli della montagna,

quando sul ghiaccio il tuo raggio si bagna!

Ma chi dirà, divina,

di che fulgor ti vesti,

se tu sorgi infocata alla marina?

Il pelago scatenasi,

e placido e giocondo

il tuo disco s'innalza e irradia il mondo!

Ed io ti amai sul piano,

ti amai, luna, sui monti,

e nel cupo fragor dell'oceàno...

ma non mi tocchi l'anima

quando, dimessa e stanca,

seguiti il sole in camiciuola bianca!

O vergine d'amore,

se tua beltà lo vince,

non indugia a pregar nostro Signore,

che, quando il sol ci illumina,

ti tenga in paradiso,

perch'io solo di notte amo il tuo viso!

Interlaken, luglio 1857.

7

LA MORTA DEL VILLAGGIO

Vi conterò la storia della morta

per cui suonano adesso la campana -

era una tosa piccolina e smorta

che abitava vicino alla fontana.

Toccava appena appena i quindici anni,

quando suo padre fu portato via

da una piena di stenti e di malanni...

la restò sola colla vecchia zia.

Amor di madre non avea la mesta,

né amor d'amiche la povera tosa;

ella era brutta, e in cenci avea la vesta...

qual giovin mai l'avrìa menata sposa?

Vedea le forosette in sul sagrato

occhieggiare or con questo ed or con quello...

povero cuor deserto e sconsolato!

oggi un vecchio l'ha chiusa nell'avello!

Brianza, aprile 1859.

8

UN FRATE

Che fantasima d'abate
ho scontrato stamattina,
sul sentier della collina!

Pover'uom, per esser frate,
era magro e curvo e smorto:
certo il pranzo troppo corto
il convento non gli dava...
di che fame dimagrava?

Sotto il saio pien di tarlo,
che animal ci ha posto il dente?
Mal di corpo o mal di mente?
Io non seppi indovinarlo,
ma, scommetto un principato,
qualche diavol vi è incarnato;
quella testa aveva il conio
dell'alcova di un demonio.

Tra una pelle liscia, gialla,
scintillavan, come faci,

occhi ceruli e rapaci,

segno questo che non falla;

ed il naso uscia schiacciato

monco, nero, raggrinzato,

come il naso di un chinese,

strano pur nel suo paese.

Con tai passi venia avanti

da raggiungere uno struzzo,

seminando un certo puzzo

di tabacco e unguenti santi,

che pareva un letamaio,

e, battendo dentro il saio,

il suo corpo roso e cotto

dava il suon di un vaso rotto.

Si fermò... prese a guatarmi

colla faccia arcigna e dura:

guardò poi la mia pittura

e partì senza parlarmi:

al risvolto di una via

sghimbiò lesto, fuggì via...

io ne vidi il cupo aspetto,

tutta notte, accanto al letto!

Avignone, maggio 1858.

9

SERATA IN MARE

Sù, la vostra canzone intonate
bruni figli del lido ridente,
e nell'alto la barca guidate,
che già brilla la luna nascente.

Già la luna nascente galleggia
sui marosi del chiaro orizzonte,
e, coi raggi scherzando, passeggia
sulla cresta bizzarra del monte.

O capanne, fra i larghi oliveti
occhieggianti le vele fugaci,
o dirupi di pascoli lieti
e voi lidi cospersi di faci,

non sapete lo scopo sublime
di cui Dio v'affidò la magia,
quando disse alle spiaggie, alle cime:
- State, o figlie dell'anima mia:

state belle di golfi e foreste,

di villaggi, di scogli, e di palme;

belle in mezzo alle cupe tempeste,

belle al mite sospir delle calme! -

- Sacerdoti! alle turbe infelici

predicate i miracoli vieti,

e di ceri e dorate cornici

fate addobbo alle sacre pareti;

altro culto agli spiriti oppressi

dal desio della vita migliore,

altre preci, altri incensi ha concessi

la insultata pietà del Signore! -

Sù, le vostre canzoni intonate,

bruni figli del lido ridente,

e nell'alto la barca guidate,

che già brilla la luna nascente;

non mi giungan di salmo melodi,

né di stola m'appaia il candore...

di lassù qui mi canta le lodi

della luna e del mar lo splendore;

e qui, meco, sull'umile prora,

qui sta Iddio, che m'accende l'ingegno,

qui, nel core che il bello innamora!...

Del Signor questo è il tempio più degno!

Bordighera, giugno 1861.

SUI MONTI DI NOLI

Oh chi dirà la gioia

che sentii stamattina

volar dal labbro d'una contadina!

Scendea dalla montagna

in sottanetta bianca,

cantando a tutta gola

una gaia parola,

e ripetendola

in ritornelli

scuciti e belli.

Era una canzonetta

che parlava d'amore,

chiesto e richiesto ai petali d'un fiore:

e un fior pareva anch'ella

l'allegra cantatrice :

robusti quindic'anni

sfidatori d'affanni,

treccie nerissime,

e occhietti fini,

ed assassini!

Ma sparve dietro un tremulo

bosco di antichi olivi,

e la cadenza dei suoni giulivi

anch'essa, a poco a poco,

fra i rami si perdette...

Oh dolce cherubino

risali il tuo cammino,

oh torna, e sèguita

la canzonetta,

o forosetta!

Ma là, sul lido candido,

ahi! forse, o bricconcella,

ti aspetta nella nota navicella

ansioso un giovinetto;

e tu corri a portargli

due begli occhi d'amore...

begli occhi, e buon umore;

oh a lui propizia

sia l'onda amara,

se gli sei cara!

Ma, se pur sogna i placidi

beni di quiete porte,

ch'io vo' cangiar la mia colla sua sorte

digli, fanciulla bella;

egli sarà pittore,

ed io sarò nocchiero,

ma ti amerò davvero,

e sull'oceano

ci culleremo,

con vela e remo!

Noli, aprile1858.

11

IL TEMPIO ROMANO

Ecco una landa solitaria e bella
come la speme di un morente. Il cielo
è di un vivido azzurro e senza velo;
contadina che spigoli sul prato,
né carro appar nel piano interminato;
solo un tempio romano, ove facella
più di vestal da secoli non splende,
e ai sacrifici l'augure non scende,
innalza torvo su un letto d'ortiche
le sue colonne antiche.

Le falangi dei Cimbri incatenati
qui passàr, dalle invitte alme imprecando
ai ferri e alla fatal legge del brando;
qui pregàr forse gli ultimi tribuni,
dalla vendetta dei barbari immuni,
tra l'arse insegne e i figli insanguinati,
i dolci lari - quando fiori al crine
degli amanti ponean donne latine,
e barcollava in mezzo all'orgie doma
la vetustà di Roma.

Or sulle basi e i capitelli immani,

e fra i deserti portici e le ogive,

l'edera stese le braccia, lascive

come le spose di Nerone: l'ali

del tempo e dell'oblio nei penetrali

infranser l'are dei possenti Mani,

e troveresti in mezzo ai sassi, a caso

frugando, forse di un olimpio il naso,

che greco artista sculse e dei circensi

fiutò votivi incensi...

Ma al tempio il danno e il nostro oblio che importa?

Gli idoli infranti, e fu l'oro rapito:

pur non svanì la santità del sito;

la beltà che dan gli anni alle rovine,

come raggio di un martire sul crine,

siede grande e severa alla sua porta,

e par che gridi fuor dagli archi neri,

se ne destano l'eco i passeggieri:

lunge, lunge dai ruderi romani

o progenie di nani!

Nimes, maggio 1858.

12

IL PROFESSORE DI GRECO

Il lungo e magro professor di greco,

che quasi odiar mi fece il divo Omero,

fu stamane a vedermi al mio studietto.

La tavolozza mia si tinse a nero,

e io lasciando i pennelli con dispetto

il guatai torvo e bieco.

Ché all'entrar suo mi rientrò nel core

tutta la noia dei passati inciampi,

quando fanciullo pallido e sparuto

alle dolci anelavo aure dei campi,

e avrei pei gioghi del Sempion venduto

e Troia e il suo cantore.

Ma poi ch'io vidi l'uom, già in uggia tanto,

incanutito e sofferente e stanco,

l'antica bile mi fuggì dal petto,

e fissai mestamente il suo crin bianco;

egli abbracciommi coll'usato affetto

e mi sedette accanto.

Poi mi narrò de' suoi lunghi malanni

e delle pene della famigliuola;

sentirsi affranto e avvelenato ormai

dall'afa sempre uguale della scuola,

che fin gli toglie il ricrearsi ai rai

del sole agli ultimi anni.

Indi guardando con occhio d'amore

la stanza piena di festa e di luce,

e le sparse mie tele e gli abbozzetti,

da cui la lieta fantasia traluce,

parea, che desto ai primi ardenti affetti,

chiusi non morti in core,

volesse dirmi: - Oh quanti nuovi lidi,

quanta stesa di cieli e di marine,

tu vedesti, e pur giovane sei tanto!

Ed io?... dei grami dì già presso al fine

che mai conosco di sì vago incanto?

Nulla, mai nulla io vidi!

Talor fra l'aure aperte e la verzura

la mia stanca vecchiezza si riposa,

quand'esco coi figliuoli alla campagna;

ma quell'ora di pace, ahi come vola!

Qual tristezza maggior non m'accompagna

poi fra le chiuse mura!-

Povero vecchio! - ed io fui crudo tanto

da attristargli la già misera vita ?...

Sù, versi miei, seguitelo per via,

ditegli voi, che col greco è svanita

ogni rancura, e che quand'egli uscia

dalla mia stanza - ho pianto!

13

SUICIDIO

Oh tesor negli scrigni giacenti,
oh dovizie all'azzardo diffuse,
e cui spesso sbadata profuse
una man che ignorava il dolor!

Oh metallo alle belle indolenti
tramutato in tessuti e in gioielli,
mentre intorno mieteva fratelli
la miseria suffusa d'onor!

Ecco un cadavere
d'adolescente;
guardate, è un pallido
volto soffrente:
vi brillò un'anima
fervida, pura...
la spense il turbine
della sciagura.

Artista, e povero,
lottò sperando,

fioria già il lauro

sognato, quando,

svaniti i fascini

ad uno, ad uno,

alla sua soglia

picchiò il digiuno...

Si spense... - O martire!

riposa in pace;

presso il tuo feretro

non splende face,

ricusa il tempio

questa tua salma,

che importa? al carcere

sfuggita è l'alma! -

Addio pennelli, tavolozza addio

sacra all'oblio!

É morto il giovinetto,

che al vostro fido aspetto

gloria sognò, sognò giorni felici!

Addio corse alle selve, alle pendici

ispiratrici,

addio dell'arte amori

coronati di fiori:

siete larve abbaglianti e ingannatrici!

O fuggito alle infamie del mondo,
vola, vola, ti bea nel sereno,
coraggioso, che il calice pieno
hai gettato alle spine del suol!

Or, dal cielo, tu, artista giocondo,
alle tele incompiute sorridi,
e dell'arte degli uomini ridi,
dipingendo coi raggi del sol!

MISTERO DI STELLE

Oh ditemi il segreto, erranti stelle,
dei vostri eterni palpiti!
Qual desio vi commove il petto ardente,
quale amor, nella bruna aura tranquilla,
vi consiglia a oscillar sì dolcemente?

Forse è ver che di voi guida cìascuna,
quaggiù nel mondo vedovo,
un'anima alla meta in compagnia?
A noi l'antica età divinatrice
questa speranza del poeta invia.

Se fallace non è, deh stella amica
del mio pensoso spirito,
che fai lassù, dacché lasciai la culla?
Brilla, brilla infedele, e cerca intorno
una fiammella di gentil fanciulla!

E poi con lacci che ti presti il cielo,
a te per sempre annodala;
sciogli le nubi dalle sue sembianze,

guidala mollemente ove, al sereno,

le stelle dei felici intreccian danze.

Ma neghittosa se tu resti ancora

nella tua danza eterea,

oh a te, dall'alto, cui di notte agogno,

una ultrice tempesta urli sul viso

e spenga col tuo raggio ogni mio sogno!

15

UN FIORE A SUO TEMPO

Un giovinetto
di vago aspetto,
un dì fra i calici
mi raccontò :
che di una bella
gentil donzella
come un maniaco
s'innamorò.

Ma un dì, la bella
gentil donzella
un fior donavagli,
pegno di fé;
il padre antico
di quell'amico
gli vide il simbolo
dentro il gilet ;

la madre fella
della donzella
il vaso vedovo

vide di un fior;

scandalezzata,

l'innamorata

condusse subito

dal confessor.

E minacciato

dal padre irato

il cor del giovane

s'ingelidì ;

oh giorno, oh fiore!

Povero amore!

Sì puro e fervido

come finì!

Qual era il nome,

quale il cognome,

di quel fior perfido

d 'oblio forier ?...

Egli era un nero

fior del pensiero...

Noi Lena amiamoci

senza pensier!

E finché sento

questo tormento,

detto fra gli uomini

male d'amor,

fiore non voglio

che porti imbroglio,

ma voglio stringerti

strozzarti al cor!

Quando poi stanco

sarò del bianco

tuo sen, del morbido

tuo folto crin;

quando al tormento

del sentimento,

colla materia

 Dio porrà fin...

la stanza, o Lena,

di fiori piena,

sarà l'emporio

d'ogni color,

e allor nell'abito

o nel soprabito,

Lena, mi sdrucciola

quel noto fior!

Aprile 1858.

16

DONNE E POESIA

CANZONE DI UN MISANTROPO

E beata è colei che non si sarà
scandolezzata di me.
Evangel. S. Matteo, c. XI., v. 6.

Come un raggio di sol su un vecchio muro,
monumento futuro,
in cui di verde l'edera ha vestito
i fior che adora il profumier perito,
e, amor dei vati e amor dei ciabattini,
i pampini divini,
e i merli ai fiori e ai pampini frammisti
sogno dei paesisti;

così della tua luce, o Musa, un raggio,
rapito al paesaggio,
scenda sul viso alle fanciulle amanti,
alle meste fedeli, alle incostanti,
alle errabonde femmine infelici

di sposi cacciatrici,

a quelle che trovato uno ne hanno,

e a cuocere lo stanno!

Mostrami a nudo sotto i rai tepenti

le vedove languenti,

poveri fior che inaffiano l'infranto

stel, che rinasce coll'umor del pianto:

mostrami la signora in frange e in seta

e la serva indiscreta,

e la merciaia, e la modista, altiera

rondine della sera.

Spoglia i cuor, togli i crinolini audaci,

e tra i cerchi capaci

e tra le foglie dell'amor cadute,

indaga il sentimento e la salute!

Povero amico, aceto e cor prepara...

Ahi! bieca scena amara ;

oh illusïon perdute, oh telescopio

mutato in microscopio!

Vedrai che nebbia ci copria la vista

in quell'età sprovvista,

povera età, del santo raziocinio;

ah, il re Petrarca avea solo il dominio

quando insiem sognavamo alcove e seni

del nostro amor sol pieni,

e un sorriso di donna il cor ci empiea

come fa la marea!

Una fanciulla quindicenne, bianca

larva pensosa e stanca,

ci faceva tremar fibra per fibra,

né vedevam lo spettro che si libra

a tergo di ogni donna,

che al fruscio delle perle e della gonna

nascoso entro la chioma,

è il solo amante, e ambizion si noma.

Il solo amante, il prediletto amante

della fanciulla errante

mesta per via col cappellin sdruscito,

della compagna che al fatal marito

quasi a baston si appoggia;

della superba che dall'alta loggia

degna guardar la plebe,

e della fante nata sulle glebe.

Sì, la fante che arriva in sul mercato

col viso imporporato,

e in cui tu dentro al sen brunetto e tondo

sognavi l'innocenza e il far giocondo,

ha anch'essa un crinolino,

spera il mantel di seta e l'ombrellino,

e compra il cacio e il pollo,

con quattro perle fálse intorno al collo!

La crestaia ?... misura al tuo pagare

se degno sei d'amare;

della tua borsa al nobile spessore

che particella ti può dar del core,

fino a che punto il viso

farsi gentil, per schiuderti un sorriso,

e ti misura i corni

dal numero dei nastri onde l'adorni.

Fra le eleganti, che alla fantasia

schiudono tanta via,

metà coi dolci della faccia incanti,

e metà colle vesti auree, striscianti,

e il volar dei cavalli,

e dita bianche strette in guanti gialli,

potrà forse l'amore,

dopo tanto bussar, trovarsi un core?

O pallido poeta, ecco, mia musa,

già di pallor suffusa,

getta la luce sua fra queste sete,

fra tante gemme in tanto oro sì liete;

spingi l'occhio sagace,

e tenta i cori, e cercavi una face...

Ahi! lucignoli solo

rischiarano del tuo l'ardente volo.

Se tu in mezzo alle dame, o sventurato,

giammai ti se' innoltrato,

obliando le tue rime balzane

in tasca, come briciole di pane...

Ah le ascondi pudico,

o piuttosto le dona ad un mendico,

ché il pan della tua fama

sale non ha che stuzzichi una dama!

In chi, dimmi, versar l'onda infinita,

in que' bei dì nudrita?

L'onda di un core che una volta appena

sia stato dalle muse a pranzo o a cena?

Secol decimonono,

noi dividemmo i fulmini dal tuono,

ma tu, crudel, rapisti

le scintille dai cuori, e ci punisti!

Ecco! ogni anno che scende a noi trafuga,

nella veloce fuga,

qualche sacra dei nostri avoli usanza!

Finir le serenate, e della coda

l'ondeggiar venerando,

l'epica è morta, e del teatro Fiando

già si minaccia il fato,

e cadrà dei Figini il porticato...

Piangete, alme gentili, anche l'amore

si è fatto viaggiatore;

per qualche più felice astro, infedele

ci abbandonava e spiegò al ciel le vele!

Qui, Poesia soltanto

restò sparuta a pochi mesti accanto,

a ricordar gli ardori

onde una volta arse i paterni cuori.

- Amico! al dio defunto onor di eletti

carmi donai, perdetti

assai tempo languendo, ora ci vedo,

e no, perdio! non voglio essere Alfredo

s'esser non posso Arturo!

Amor, riposa in pace, astro maturo:

amico, ai campi, ai campi;

addio di cuore, o femminili inciampi!

Oh sì, amerem della natura i santi

i benedetti incanti :

la montagna lucente in faccia a noi,

 i salici curvati ai lavatoi,

il lago specchio delle stelle, e i molli

clivi dei nostri colli,

e i fior del prato, e i ruminanti bovi

giacenti in mezzo ai rovi.

Il noce, l'olmo, i platani romiti

ci appariran vestiti

della scorza che Iddio, sarto giocondo,

destinò lor quando cuciva il mondo,

e cogliendo tra l'erbe i gelsomini,

nudi di crinolini,

al profumo, al candor li sceglieremo,

e ghirlande faremo!

E l'aura che verrà dalla foresta,

sia risonante o mesta,

non sarà, come i femminili accenti,

il mobil velo, no, dei sentimenti;

sarà un semplice suon di ramo in ramo

un sussurro, un richiamo

da nido a nido, che darà frescura

a tutta la natura.

Sì, amico, lascia correr l'acqua al mare,

lascia i bimbi sognare,

giungeranno piangendo alla ragione;

lascia che dolci e candide persone

schiudan sorrisi da strappar le stelle...

noi conosciam le belle:

e colle muse al fianco, accorti eroi,

ci adorerem fra noi!

Giugno 1853.

17

TUTTI IN MASCHERA

Uom, tu che nasci in maschera,
e mascherato muori,
osi insultar, se incognito
è anch'esso il Dio, che adori?

Vorresti tu conoscerlo
ed affisarlo ignudo,
come una compra femmina,
o il conio di uno scudo?

Ma tu, da culla a feretro
lasci un sol dì il mantello?
Ardisci mostrar l'indole
del cuore e del cervello?

Dio che a ragione, o tanghero,
di te più furbo è assai,
t'acqueta, la sua maschera
non lascerà giammai.

E tu in ginocchio pregalo

che ci lasci la nostra,

perché sarebbe orribile

l'anima messa in mostra!

18

- Amor ci suscita,
ma come, e donde?-
Le razze intrecciansi,
nessun risponde.

Inconscie reclute,
travolte in guerra,
piovono l'anime
su questa terra:

le stelle brillano
sui nostri amori,
il suol ci germina
serti di fiori,

ma tutto è tenebre
pria della culla,
e dopo il feretro
vediam più nulla!

19

SENZ'ALI

- O del mio mesto april rondine cara,

vieni a volar nella stanzetta mia,

quando l'arte, di amplessi ahi! troppo avara,

del disinganno vittima mi oblia!

Vieni e vedrai, specchio di un tuo sorriso,

la tavolozza mia tutta splendore,

e sentirai, commosse al dolce viso,

le fosche tele sussurrar d'amore... -

Ma, ahi lasso! la gentil mia rondinella,

è una debole, trepida fanciulla,

che, sebben come un angelo sia bella,

fu senz'ali posata entro la culla;

e quando esce di casa a far mazzetti

della viola sui margini odorosa,

e a sospirar nei placidi boschetti

il dì che intrecci ghirlanda di sposa:

non vola, no, libera in mezzo al cielo,

ma preme il suolo, e a colmo di sventura,

la madre ha accanto che le abbassa il velo,

e la dilunga ognor dalle mie mura.

20

LARVE ELEGANTI

Come fra nebbia nei boschi caduta,

io dell'età vissuta,

rammento i giorni sacri al primo amore;

quelli in cui sbuccia il core

come dai chiusi petali al mattino

un puro gelsomino;

quando, coll'alba, discendean, sull'ali

dei sogni, a' miei guanciali,

palpiti strani e idoleggiate torme

di seducenti forme!

Nella memoria mi riposa ancora

la vita di quell'ora,

e veggo omeri bianchi e bianchi denti,

e labbra sorridenti,

e occhi mesti e pupille accese e nere

passar davanti a schiere,

lasso! e non una ne sortì, gentile

tesor primaverile,

a offrirmi i baci, a offrirmi il santo affetto

sognato al loro aspetto... ?

Eran tutte fanciulle innebriate

di danze avvicendate,

eran fanciulle che leggean romanzi

di fantasimi e ganzi,

eran fanciulle che poneansi al crine

fra i vezzi, fra le trine

e gemme e perle e corone immortali

di fiori artificiali...

ed io già in petto avea l'onda dei versi,

e gli occhi al ciel conversi,

e già pensoso mi smarrivo a sera,

tra i fior della riviera,

ascoltando il sospir che mollemente

muove dal sol morente!

21

Spesso i sogni che all'anima son belli,

ti aleggiano d'intorno al primo albore,

quando fuor del verone i mesti augelli

sospirano del cielo il tenebrore.

La tua vergine allora, in abbandono,

ti stringe il core che di gioia piange,

e, innebriato, ti risvegli al suono

della pioggia che a' tuoi vetri si frange.

22

IL POETA UBBRIACO

Datemi un nappo, datemi dei versi;
le imposte aprite, entrino i venti e il sole:
quanti fantasmi nel cervel dispersi!
Che musica di forme, e di parole!

Sento un odor di grandine e di rose,
e il vo' scrivere in versi alessandrini:
come fanciulle flebili e amorose
cantin le cetre dai sonori crini;

e dando il braccio a sedicenni amanti,
pallide di languore e di piacere,
orsù, apparite, o ciclopi, o giganti,
e danzatemi intorno al tavoliere!

Sento il raggio del sol scendermi in petto,
e scaldar fibre sconosciute ancora;
- giganti, il vostro mistico balletto
ama la nota flebile o sonora?

Volete le cadenze imbalsamate

di fragranze di rosa e gelsomino,

o le rime dal turbine accozzate,

come foglie cadute in sul cammino?

O la canzon della notturna pesca

che naufraga piangendo fra i marosi,

o lo stridor con cui la tigre adesca

l'arabo in caccia fra i palmeti ombrosi?

Volete il canto che intuonò Maometto,

o il salmodiar che il Nazareno onora?

Giganti, il vostro mistico balletto,

ama la nota flebile o sonora? -

Sento un odor di grandine e di rose,

e il vo' scrivere in versi alessandrini;

come fanciulle flebili, amorose,

cantin le cetre dai sonori crini!

Ma, o sedicenni danzatrici bionde,

volete i nostri balli, o i balli antichi;

dell'India amate le danze feconde,

o il rustico ballar nei piani aprichi?

Volete in giro rotear sul prato,

le mani unendo, e accelerando il piede,

o amate saltellar lungo il selciato,

come le donne sue Napoli vede?

O come anella musiche, alle dita

i legnicciuoli della catalana,

a fascinar volete alla partita

i giovinetti con la danza ispana?

Volete il ballo del francese amato,

da cui l'uom pio scandalezzato riede,

o amate saltellar lungo il selciato,

come le donne sue Napoli vede?-

Datemi un nappo, datemi dei versi!

Le imposte aprite, entrino i venti e il sole!

Quanti fantasmi nel cervel dispersi,

che musica di forme e di parole!

Oh sorridete, sedicenni amanti,

pallide di languore e di piacere;

o eroi di fiamma, o ciclopi, o giganti,

dite, entrar posso nelle vostre schiere?

L'anima è un mar di note onnipossenti,

e sotto i baci del licor di Chio,

forti ho le braccia, e l'ali al cor potenti!

- Dite, entrar posso nella ridda anch'io?

Roteamo, cantiam, bimbe, giganti!

E d'amore e di vin qui scorra un fiume;

versi, aria, luce, fior nei crini erranti,

io brucio, e sento che divento un Nume!-

23

RITRATTI ANTICHI

Tele antiche, io vi saluto,
che dall'arte profumate,
qui vivete, come mummie
delle razze trapassate!-
Ecco appeso alle pareti
lungo stuol di cavalieri:
una truppa di guerrieri
che la morte insiem colpì!

Ecco vergini e matrone
dalla nobile sembianza,
che di sguardi malinconici
intersecano la stanza;
ecco frati, e suore, e preti,
cui nel volto ancor si legge
la nequizia che fu legge
per le plebi di altri dì!

- O bruna fanciulla
che sempre sorridi,
ti dieder la culla

gli iberici lidi?

Quegli occhi più fulgidi

dell'aurea cornice,

oh dimmi se resero

un uomo felice!

Di nacchere e ghitarre

oh ardor di serenate!...

Dimmi, quanti morirono

sotto tue lunghe occhiate?

Ringraziane il pittore!

La tua sembianza suscita

faville ancor d'amore,

la tua potenza magica

tutta spenta non è:

se vengo a farti visita

sogno la notte a te! -

- O fiero soldato

che impugni la spada,

è orgoglio sprecato,

nessuno a te bada:

a cento ti passano

davanti i codardi,

e impavidi affrontano

l'orror de' tuoi sguardi!

E un dì quel brando in fuga
forse ponea le armate...
dimmi quanti morirono
sotto le tue pedate?
Ringraziane il pittore!
Se più non fugge il pubblico
compreso di terrore,
la tua sembianza suscita
un desiderio in me:
vorrei veder sul Mincio
la rotta intorno a te. -

- O pingue matrona,
che appoggi alla sponda ;
dell'ampia poltrona
la faccia rotonda,
per certo fiorivano
i pranzi al tuo tetto;
oh dimmi lo stomaco
ti fece difetto?

Odor di tue cucine
dopo le pingui caccie!...

Dimmi, quanti rnorirono

sotto le tue focaccie?

Ringraziane il pittore!

La tua sembianza suscita

il chilo e il buon umore;

la tua potenza magica

tutta spenta non è;

se l'appetito langue

vengo fidente a te! -

- Ma tu cardinale

dal viso paffuto,

dall'occhio bestiale,

tu pur se' vissuto?

Sù dimmi, al tuo secolo

fiorìa la bottega?

Con quanti carnefici

stringesti tu lega?

Temevano gli armenti

levar su voi le faccie?

Dimmi, quanti morirono

sotto le tue minaccie?

Maledici al pittore!

la tua sembianza suscita

e lo schifo, e l'orrore!

Se in petto avessi un pallido

baglior della tua fé,

si spegnerebbe, o lurida

figura, innanzi a te! -

Gennaio 1862.

AMOR DI CRESTAIA

- No, mia diletta, non ho più quattrini,

per mutarteli in nastri e in cappellini:

siamo a Natale, e le mie due sorelle

aspettano un mio dono a farsi belle,

e le sorelle, e la mamma, e la nonna,

già da un anno sdrusciscono una gonna:

Nina, se m'ami, non cercar denaro,

son povero, lo sai, non sono avaro.-

- Mi parli già da mesi, o giovinetto,

e sai se al mondo ebbi più caldo affetto;

sai che di baci mi bruciasti il viso,

sai che m'addenta il cuore un tuo sorriso,

sai che son tutta tua dal capo a' piedi...

ma, santo Dio, non ho il coraggio, credi,

se alcun mi chiede chi mi portò via,

di dirgli il nome della fiamma mia!

Darei la vita per la tua famiglia,

ma, ve', il tessuto tutto s'assottiglia;

puoi tu vedermi uscir così sdruscita?

Per le sorelle tue darei la vita,

perché son buone e son cortesi e belle,

e perché infine son le tue sorelle:

ma, Dio santo, non ho, non ho un'amica

più innamorata, e di me più mendica!-

Il giovinetto comprerà la vesta,

perché la sorte degli amanti è questa;

oblierà vedendola giuliva

il focolar ch'ei di conforti priva...

Finché, un bel dì, la fervida crestaia

la gonna sdegnerà dell'operaia,

e spariran, di un ricco al nuovo affetto,

i regali e l'amor del poveretto!

ASSOLUZIONE

La mia ganza, una bimba assai devota,

e credo, a molti parroci ben nota,

venne a narrarmi, tutta addolorata,

l'ira del prete che l'ha confessata;

- Eh via - le dissi - vien, vieni a cenare,

io stesso poi ti voglio confessare,

e se vedrò che mi vuoi bene assai,

assoluzione e baci in copia avrai;

ché Dio promise, in questo oh grande e buono!

a chi avrà molto amato, il suo perdono! -

26

ORGIA

Versate amici il nettare divino!
Bruna è la notte, e la face scintilla:
spumeggi in cor coll'ispirato vino
la musa brilla!

Splende la face e s'avvicina il giorno;
nei colmi nappi un'anima s'asconde;
versate, amici, e danzatemi intorno
e brune e bionde!

Buia è la notte, e miagolan sui tetti
come bimbi sgozzati i gatti amanti;
cantiam, cantiam gli sprigionati petti.
le treccie erranti,

le tese braccie delle danzatrici!
Splende la face, amiamoci, e beviamo;
è dolce sussurrar fra nappi e amici :
fanciulla, io t'amo!

Fra gli spruzzi del vin, come, a vederla,

la schiera delle amanti è più gentile;

son come i fior che la rugiada imperla

ai dì d'aprile.

Versate, amici, il nettare divino!

Bruna è la notte, e la face scintilla:

spumeggi in cor coll'ispirato vino

la musa brilla!

Cozziam le tazze, ed accozziam canzoni,

l'anima e il corpo insiem perdano il perno,

e a conto nostro danzino i demoni

nel loro inferno!

Brindisi ad essi, e agli angeli dei cielì,

brindisi al sole, e agli astri pellegrini,

brindisi al mare, al fulmine, e agli steli

dei fiorellini!

Splende la face, e s'avvicina il giorno:

nei colmi nappi un'anima s'asconde!

Versate, amici, e danzatemi intorno

e brune, e bionde!

Tutti, tutte, ahi! corrà l'eterna notte

dopo queste d'amor fulgidi notti;

morrem noi pur, frammisti alle bigotte

ed ai bigotti;

ma di costor la vivida natura

ritemprar non potrà, col cener molle,

che ortiche, e rovi, e squallida verdura

d'aglio e cipolle.

Dalle ceneri nostre, ancor frementi

del vasto incendio che abitò le salme,

evviva, amici! nasceranno ai venti

platani e palme!

27

Quella ciarliera, Angelica,

fante di casa mia,

mi narrava di un Tizio

morto di apoplessia,

e raccontar credevasi

un'alta verità,

dicendo: " Quel buon diavolo

andò al mondo di là!".

- Al mondo ? - io chiesi - spiègati :

di là ? di là di che ? ".

Ma credereste ? Angelica

non ne sa più di me,

e non poté rispondermi

né il come, né il perché!

28

VERITA'

Ho il canto dell'ùpupa,
ho il viso di un prete,
le penne di un passero
sfuggito alla rete,

fanciulla, per essermi
sì cruda e severa?
Se' tu inespugnabile,
mia bella trinciera?

Che filtri, che spasimi
fan d'uopo al tuo cuore,
perché mi rimuneri
di un raggio d'amore?

Vuoi dunque ch'io lagrimi,
ritrosa romana,
al par delle statue
di piazza Fontana?

Ch'io vada pescandoti,

per darti la cena,

nel nostro naviglio

delfino, o murena ?

Ch'io danzi coi trampoli

su un filo di seta,

che un ago ti fabbrichi

di carta o di creta?

Ch'io strozzi un canonico

coll'irte tue chiome,

ch'io fermi l'elettrico

gridando il tuo nome?

Ch'io rubi nell'etere

di stelle un collare,

o fili il tuo strascico

col raggio lunare ?...

E sì che le bubbole

potrei qui finire,

se avessi la voglia

di farti arrossire,

fanciulla, dicendoti

la prosa del vero:

- Ho d'oro penuria,

son grullo se spero. -

29

NELLA TOMBA

Preda dei vermi languidi,
sarà vendetta mia,
per entro all'ossa putride
studiando anatomia,

nuda veder l'origine
d'ogni mia pena, il cor!
E la ragion richiedergli
di tanto e tanto amor...

Poi, bardo estinto, un ultimo
sospiro accoglierò,
per ringraziar l'artefice
che la cassa inchiodò,

e alla chiesa cattolica
perdonar, nella quiete,
il puzzo delle esequie,
e il brontolìo del prete!

30

VECCHIERELLI AL SOLE

- Sulla porta dell'ospizio,
dove usciste in lenta schiera,
che vi dice, o miei vecchietti,
questo sol di primavera?

Oh narrate di che palpiti,
tramontati i caldi affetti
frema ancor l'età senile
all'arrivo dell'aprile ;

della speme tornan gli angeli,
o vi afferra il disinganno?
Dice il cor: siam vivi ancora,
o vi dice : è l'ultim'anno ?

Quest'auretta carezzevole,
vecchierelli, vi innamora,
o vi strazia col pensiero
ch'ella è muta in cimitero?

Oh il gennaio malinconico

rammentate, quando il cielo

era bigio, e al letticciuolo

vi assalia la nebbia e il gelo!

Rammentatevi le lagrime

che spargeste in questo suolo;

e gli stenti, e glí sconforti,

e gli amici che son morti!

E direte: Auretta tiepida,

il Signor t'ha benedetta:

son pur belli in primavera

il giardin, la cameretta!

E direte: Auretta tiepida,

del Signor sei messaggiera;

spunti, auretta, il giorno estremo,

noi lassù ci incontreremo!-

31

I SUPERSTITI

Una mesta mi additarono
giovinetta a brun vestita,
e mi dissero: - É la Rita
che ha perduto il genitor! -

Pochi mesi sorvolarono,
la rividi in una festa:
avea candida la vesta
e danzava in mezzo ai fior!

Vidi al corso un cocchio splendido:
son gli eredi di un marchese,
che di qui, non corse un mese,
dentro il feretro passò!

Una sposa mi mostrarono
più di ogni altra seducente,
e allo sposo sorridente
qual chi molto e a lungo amò...

Così bella, così giovane,

chiusi gli occhi a un altro avea:

or le fila ritessea

dell'amor che sepellì!

Sì, fra i canti dell'esequie,

scorron lagrime dirotte,

ma, asciugate in una notte,

son sorrisi al nuovo dì!

Sù, coraggio, o musa pallida,

vieni meco al cimitero;

ve' di croci il campo è nero,

e siam soli in mezzo a lor!

Ma non val sospiro o lagrima

quest'oblio dei visitanti:

siamo tutti commedianti,

commediante è il tuo cantor!

Spesso i giorni dei superstiti

son da un feretro abbelliti,

dei nepoti agli appetiti

desco è spesso un freddo avel;

se qui pria giunge la figlia

presto il padre si consola,

che davanti a un'altra stola

potrà dare un altro anel;

più il riccone invecchia e al parroco

sospirar fa i bruni arredi,

più la rabbia degli eredi

gli conforta i vecchi dì.

Se... ma tremi o musa? debole,

tanto inver non ti credeva ;

che? tu pur se' figlia d'Eva,

e tu lagrimi così?

Oh all'inferno e pianti e tumuli!

Ritorniamo a porta Renza,

là è l'altar dell'apparenza

tutto è festa, e buon umor!

E stassera, o mesta vergine,

noi stassera, danzeremo,

e nel vino affogheremo

le mie ciancie e il tuo dolor!

32

LA LIBRERIA

Spesso io contemplo in estasi
la vecchia libreria,
la fida amica, l'anima
della stanzetta mia,
e, quando mesto io veglio,
parmi udirla cantare
le note indefinibili
che han le campagne e il mare.

Io, come un uomo celibe,
che per passar la festa
esce all'aperto, e in ozio
vagando alla foresta
coglie sbadato ai margini
un mazzolin di fiori,
e fa un pazzo miscuglio
di forme e di colori:

qui fuggendo i papaveri
dei greci e dei latini,
raccolsi del mio cranio

i pochi fiorellini:

qui, dì per dì, pascevasi

la giovinezza mia;

dell'alma è il calendario

la vecchia libreria.

D'antichi e nuovi scheletri

vi giace un cimitero:

messer Francesco spasima

presso il gagliardo Omero,

Rousseau e Plutarco fiutansi,

e i santi Evangelisti

placidi sonni dormono

in braccio agli antecristi!

Giusti, compagno incomodo,

dà nel fianco a Marini,

Manzoni inconsapevole

sostiene Niccolini ;

sotto que' vetri sparvero

gelosie di mestiere,

e vivono in famiglia

codice e canzoniere.

Vi son volumi fracidi

dei secoli passati,

dal tabacco degli avoli

dipinti e consacrati,

vi son moderni in folio

legati a ghirigori,

che sembran dir: - guardateci

non siam belli... di fuorí? -

Vi posa, o pia memoria!

tolto al suo tavoliere,

dell'ava mia carissima

un libro di preghiere,

dal mio giovine orgoglio

ahimè! troppo obliato

fra i sogni dell'infanzia,

che i preti mi han turbato.

Ella alle eterne pagine,

bimbo, mi innamorava,

e vi ponea per indice

i fior ch'io le donava;

ma l'ava santa è in polvere,

i fior sono avvizziti,

e della fede gli angeli

con lei, con lei spariti!

Cade la pioggia a torrenti, e risuonano

come tasti di cembalo le tegole;

un gatto nel cortil miagola ed urla,

quasi di spento vate anima errante!

crepita il focolar, bizzarramente

illuminando la mia fredda stanza:

ve', il letto mi sorride in un cantuccio...

se' tu l'amante che all'amplesso inviti?

Ma invano al gelo della strada io penso,

e a chi corre affannato la campagna,

per farmi dolci colla pena altrui

la quiete, e il sonno.. i miei scaffali vegliano

ed io qui resto ad ascoltarli intento!

Come fauci di cantanti

che si muovono su e giù,

or si schiudono, or si serrano

i volumi palpitanti,

quasi albergo all'alme fossero

degli autor che non son più!

Udite, udite il cantico

che accompagna la pioggia;

or chi mi parla, è un logoro

libro d'antica foggia:

- Giovinetto, che guardi e sospiri,

qual speranza ti ride nel cor?

Tarpa l'ali de' lunghi desiri,

oltre il mondo non cerca l'amor!

Liba, liba alla vita, infelice,

ché a galoppo s'involano i dì;

la speranza è una dea traditrice,

tutto fu quando il corpo morì!

Ve' che notte, che venti, che gelo,

ve' che cenere al tuo focolar!

Oh non pensa ai misteri del cielo,

corri invece una donna a cercar:

i tesori degli omeri nudi,

delle chiome cosparse di fior!

Oh divini di Venere ludi

quando Bacco le avviva i color!

Ama, e bevi, gentil giovinetto!

Conta l'ore coi baci e i bicchier;

la bottiglia ed un candido petto,

ecco il nume, ecco il culto, ecco il Ver!-

- Ahimè! ho libato al calice

dei godimenti umani!

Dei baci amai la musica,

e anch'io cacciai le mani

tra profumate chiome,

e di più d'una il nome

mi si stampò nel cor!

Io pur cercai nei pampini

di Bacco, un dì, la gioia;

ma fra l'ebbrezza e l'estasi,

quando sparve la noia?

Succhiato ho disinganni,

veleno di malanni,

col vino e coll'amor!

O maledetta, inutile

se tutta è qui la vita!

Questa mia bella imagine

fu dunque partorita,

di donne a trionfare,

e le viti a sfruttare,

e tutto, e tutto è qui?

No: libro infame, l'anima

sento fremermi in petto,

e confidente il termine

del mio galoppo aspetto!

Ma chi mi dice dove,

e di che tempre nuove,

fia de' risorti il dì? -

Sotto i vetri i libri altercano

e di pagine è un fruscìo,

qual di foglie che al natìo

tronco strappa l'uragan!

- Bimbo! un altro volume mi dice,

vivi e alterna i tuoi canti felice!

Il tuo spirto dal corpo spiccato,

poi che i liberi cieli ha adorato,

un volante augeletto sarà;

un augello di cento colori

che da un nido contesto di fiori,

modulando divini concenti,

e cullato dall'ali dei venti,

fino al sole il suo vol spingerà!-

- No - grida un fascicolo -

all'ultimo dì,

nel cielo ti aspettano

le fervide Urì... -

Ma qui, cercando un'altra rima in i,

m'accorgo che la musica

di più chiare cadenze si vestì!...

Son sorci, sorci, ahi misero,

che fan la vecchia libreria vibrar...

e già da un mese io lascio

col vago suon la fantasia volar!

Poi se vi garba, ditemi

che i poeti non sono da legar!

Altro non è la musica

che una cena di topi viaggiator...

Io che sperava scrivere

su questo tema tanti versi ancor,

darò al fuoco la cantica,

e nelle coltri metterò il cantor!

Oh! ma prima al pericolo

il ricordo togliamo

della mia nonna: o povero

libro fra tutti io t'amo!. .

Ecco i salmi di Davide,

ed ecco, ecco il Vangelo...

come era bello il cielo

ch'io vi leggeva un dì!

E adesso ?... oh torna all'anima

sempre l'antica fede;

cinto di pie memorie,

il Dio dei padri riede;

riede possente, e il bacio

che al libro or ora io dava,

dal tumulo dell'ava

securo a Lui salì!

33

L'INNO DI PIO NONO

Quando in marzo fuggirono

le insegne giallonere,

e alle nostre bandiere

risero i tre color;

noi cantavamo, pargoli,

l'Inno di Pio nono,

che dei tiranni al trono

malediceva allor.

Ma un dì la madre dissemi,

tutta piangente e smorta:

- Questa canzone è morta,

non la cantar mai più! -

Quel dì, le madri italiche

tutte ammonir la prole,

perché di Roma il sole

un lampo, un lampo fu!

Quei bimbi che inneggiavano

or più non siam, perdio!

Siam la legione, o Pio,

che il Campidoglio avrà;

siam gli implacati vindici

del pianto delle madri,

siam l'egida dei padri

risorti a libertà!

34

AI COLLEGHI NAPOLETANI

Chi partìa dalla bella laguna

verso il golfo che pari non ha,

e dell'arte l'intatta fortuna

ricercava alle cento città;

chi movea dall'avello di Dante,

di Virgilio cercando l'avel,

ben trovava uno sempre il sembiante

dei fratelli, e il sorriso del ciel!

Sol cambiava divisa lo sgherro

che spiava il suo sacro cammin,

e scorgeva barriere di ferro

dal Cenisio all'estremo Apennin!

- Dite or voi, giunti pur da lontano,

il confin dell'Italia dov'è!

Voi venuti a far lieta Milano

messaggier di concordia e di fé!

Ah si stringan le destre, ché eterna

questa pagina al mondo starà;

e si ingemmi coll'arte fraterna

che gigante qual fu, tornerà!

E or salpando alla bella contrada

vi sian facili i venti del mar;

noi sappiam che a far breve la strada

vi fia dolce di noi ricordar!

E se Napoli, giunti, vi chiede

che novella Milano le dà,

voi cui mesce l'italica fede

alla gioia un'immensa pietà:

dite a lei, che la suora diletta

le rimanda un amplesso d'amor...

ma che Roma confida ed aspetta,

e Venezia è una martire ancor!

Oh non passate mai, plebi frementi,
femmine folleggianti in carnevale,
cori festosi e musiche plaudenti,
non passate dinnanzi all'ospitale!

Lasciate che sul misero guanciale
rassegnati riposino i morenti,
assopiti aspettando il funerale
corona alle sciagure, e ai patimenti.

Lasciateli coll'angelo che canta
la divina melode all'infelice:
col Cherubino della fede santa.

Ahi! se i fantasmi del gioir superno
turba la vostra voce insultatrice,
sparisce il cielo, e schiudesi l'inferno!

CONSIGLIO

Donne, voi somigliate alla natura

che, se sorride, gli uomini innamora,

e desta la mestizia e la paura,

quando minaccia e quando si scolora.

Ma rammentate che l'april, se infiora

tutto nei campi, lascia fredda e scura

l'alma che gli alti suoi misteri ignora

e del bello alla fiamma non si appura.

Oh dell'aprile candide sorelle!

Somigliategli in tutto, disprezzate

chi non adora che la vostra pelle,

e soltanto le fide anime amate

che, sotto il velo delle forme belle,

sanno i tesori che nel cor celate!

COMMISSIONE

Metti un gaio color sul tuo pennello,
e dipingimi un cielo al primo albore;
poi fra le piante e i fior di un praticello,
un somarello - che canti d'amore.

Metti, se non puoi l'oro, almen l'orpello
sul tuo pennello - amico dipintore,
perché quel cielo rilucente e bello
l'occhio abbarbagli dello spettatore.

Il somaro che innalza i caldi lai
spiri dagli occhi un'aria sofferente
qual di chi spera, e lieto non fia mai:

poi quando la tua tela mi darai,
io ti dirò se ben ritratto avrai
il volto di madonna e il committente!

STAGIONE PROPIZIA

Quando muoiono i fiori ai davanzali,

e quando i vetri la nebbia accarezza,

e le rondini in mar battono l'ali,

e del negro fanciul di val Vegezza

il grido, che dai vertici natali

chiamando il freddo e la malinconia,

par, della via fra i suoni incerti e uguali,

un la stonato in una sinfonia:

è quello il tempo di trovar marito,

fanciulle: allora l'uom che sta soletto,

come le membra, ha il core intirizzito;

e nella pace del deserto tetto

di un angelo che seco a un muto invito

s'assida al focolar, dolce è l'aspetto!

PICCOLE MISERIE

Primi rancori, puerili pianti,
capitomboli miei sul pavimento,
rabbuffi delle serve intolleranti,
e fiabe delle mie notti sgomento;

giocatoli calpesti, e vetri infranti,
alfabeto del mio labro tormento,
schiaffi delle maestre, e pensi erranti
sui scartafacci, ancora io vi rammento.

Fiuto ancor della cattedra l'odore,
risento il gelo delle vaste scuole,
e riveggo il bidello e il professore. . .

Oh memoria crudel, spina del cuore!
E dove sono il volto e le parole
dei primi amici, e del mio primo amore?

AMICI ALLA PORTA

Coppie eleganti della vaga festa,
c'è alla porta una folla di signori
di vario sesso, di diversa vesta,
amici che vi aspettano di fuori.

Son tanti i tipi, son tanti i colori,
che di farli inoltrar mi venne in testa;
ma una donna fra lor, cinta di fiori,
mi dissuase, e la ragione è questa:

mi disse il nome dei compagni suoi:
scusatemi, dei vizii è la brigata,
che per danzar dimenticaste a casa;

e è la virtù di gigli incoronata,
quella che entrar non volle, persuasa
di trovar pochi amici in mezzo a voi.

FANCIULLA IN DELIRIO

- Levatemi le coltri!... è maggiorana,

che bisogna piantar nel mio giardino

Ascolta... a festa suona la campana...

ma che fa qui in un angolo il becchino?

Deh, profumami, madre, il moccichino

coll'olezzo dei colli, e la sottana

dammi ch'io vi ricami un fiorellino...

ma il vecchierello ov'è che mi risana?

Oh non più, madre, medicine amare,

stanotte io feci un sogno fortunato...

e al dottore lo voglio raccontare;

un bel sogno... era un giovane soldato,

poi venne un prete... poi vidi un altare...

Madre, madre, il becchin l'hai congedato? -

42

OLANDA

Un cielo grigio, una mesta campagna

che uniforme svanisce all'orizzonte,

un placido canal che l'accompagna,

e qualche donna che scende alla fonte;

lungi, nei prati che la nebbia bagna,

la città sulla gotica sua fronte

alza l'antica cattedral grifagna,

sparuta come il vertice di un monte...

- Non hai teco un rimario, viaggiatore?... -

Ove fuggisti, o mio lepido umore,

in che borgo ho smarrite le parole?

Sì, al focolar del prima albergatore,

sento che canterai, povero core,

l'amor d'Italia, e dell'Italia il sole!

43

VETTURA NOTTURNA

- Per la deserta strada, o viaggiatore,
dove t'affretti ai raggi della luna?
una madre lasciasti, il genitore
e sposa e bimbi, per cercar fortuna?

La notte in breve si farà più bruna:
forse al varco ti attende un traditore,
e cadran tue speranze ad una ad una,
come le foglie d'appassito fiore.

Se soltanto lasciasti una stanzetta,
un davanzal fiorito, un letticciuolo,
la portinaia, o un cane che ti aspetta,

cedi al mesto pensiero, e torna a volo:
quanti pianser, ma tardi, la negletta
povertà lieta del paterno suolo!

PITTORI SUL VERO

Schiudesti appena il tuo logoro ombrello,

e giù d'urti e di inchieste ti circonda

di pescatori un garrulo drappello,

e dura legge è pur che si risponda.

- Eh, che mai fa ? - Dipingo. - Oh bello, oh bello!...

- Ma come ? - Come posso. - E cosa ? - L'onda.

- L'onda del mar?... ci metta anche un battello.

- Il tuo, no, il mio che azzurri ha remi e sponda.

- Ma del quadro che fa, lassù a Milano?

- Al prossimo di buona volontà

lo vendo come l'ostriche e il merlano. -

La gente crolla il capo e se ne va,

dicendo : - É un pazzo - ed io soggiungo piano :

- V'ha chi tali ci crede anche in città. -

Ma bello è quando parlano, seguendo

del pennello la corsa affaccendata,

e fra loro in famiglia discorrendo,

di tutti i casolar della borgata.

- To', la casa di Gilda è già segnata!

- Ve' la finestra qui del Reverendo!

Or che la fante gli cadde malata,

anch'egli il pover'uom va impallidendo.

- Guarda la barca di compar Clemente

che s'è annegato pescando corallo!

- Ve', ve', il giardino qui dell'Intendente!

- Oh ma non scriva, no, quel muro giallo:

vi sta un ricco che mai messa non sente,

e il curato lo danna senza fallo! -

Ma chi di voi parlerà… degnamente,
osterie che i pittor ricoverate?
Delle vostre cucine è nume un niente
frammisto di cipolle e di patate!

Sognate vino e ostiera seducente?
Un vecchio marinar vi ritrovate,
che vi schiude una stanza puzzolente…
Della cantina ohimè non ne parlate!

Ma quando tapezzata è la stanzetta
di tele, e qualche amabile pilota
narra gli eventi della sua barchetta

e un letticciuol le stanche membra aspetta…
l'itinerario del diman si nota,
e sulle labra vien la canzonetta!

Pensate a un uom, prigione alla locanda,
con una pioggia che a torrenti cade!
Se costui Cristo al diavolo non manda
É paura d'entrambi che lo invade.

Uscir?... di fango sono un mar le strade,
e le mie scarpe han l'aria miseranda;
che cesserà, l'oste mi persuade,
e ch'io pazienti ancor mi raccomanda.

Si comincia a educare il gatto o il cane
con cento schiaffi, ed un soldo di pane,
poi si contano travi e casseruole,

poi sospinta la serva alle carole,
e affumicate dei sorci le tane,
sbadigliando si scrive un inno al sole!

48

Ma ritornato dalla lunga gita
alla casa paterna, a' tuoi diletti,
d'alme memorie l'anima arricchita,
e la valigia piena di abbozzetti:

come lieto rivedi i cavalletti
che abbellano la tua stanza romita,
e come lieto ai muri prediletti
appendi la tua preda, al mar rapita!

Poi come è dolce raccontar gli eventi
agli amici del tuo viaggio lontano,
e innamorarli dei lidi ridenti!

E quando, solo al tuo lavor, la mano
trascorre, e vola il cuore, ancor tu senti
fuor dai vetri il fragor dell'oceàno!

CRITICA D'ARTE

L'ho visto il quadro... è bello, è sorprendente!
Che gagliardo color, che forma pura!...
Però nel fondo non capisco niente,
e l'argomento mi mette paura.

La barba del pontefice Clemente,
ditelo voi, non vi par troppo oscura?...
E quella faccia di donna languente
è tipo superiore alla natura!

Poi c'è quel dito, ahimè! del cardinale,
che pecca assai nella sinistra parte;
sono inezie, lo so, ma piano piano

si sdrucciola nel falso e nel balzano!
Ah, in questa Italia benedetta, l'arte
ahimè va male, ahimè va mal, va male!

ADORAZIONE

- A messa mi volete alle sett'ore?

No, guardate lassù che amena vetta!

Domani io sarò là sul primo albore,

a cogliere per voi timo e violetta.

E se non mi vedete alla chiesetta,

non paventate l'ira del Signore:

non è incenso o latin che lo diletta,

ma il profumo, ma l'estasi del core!

E il mio cor, che quaggiù pensa a voi sola,

se lo porto sui monti a respirare,

miracolo! adorando al ciel se 'n vola,

e del bello commosso alla parola

che susurrano intorno i campi e il mare,

egli diventa il mio unico altare!

Milton Keynes UK
Ingram Content Group UK Ltd.
UKHW050624250923
429338UK00012B/586